ORIGINAL AUTHOR
원작자

사나다 마코토

Ray
Rachel·Gardner

Zack
Isaac·Foster

Danny
Daniel·Dickens

Eddy
Edward·Mason

Gray
Abraham·Gray

Cathy
Catherine·Ward

Floor B6 Zack

Floor B5 Danny

Floor B4 Eddie

Floor B3 Cathy

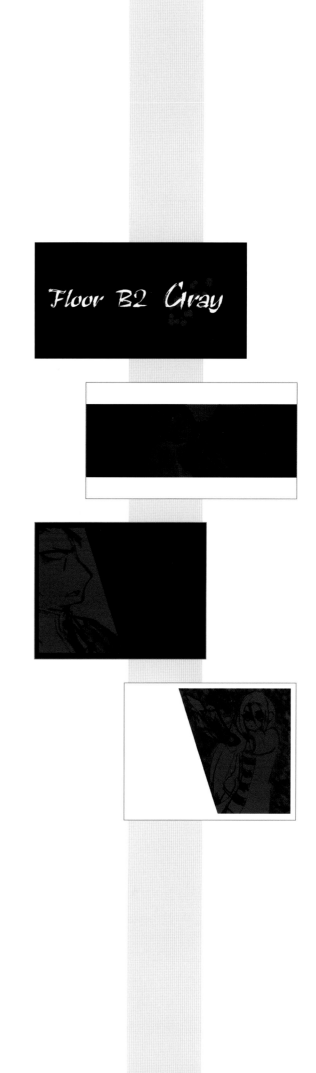

Floor B2 Gray

34

Floor B1 Ray

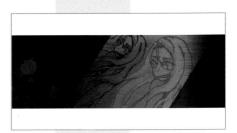

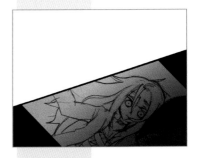

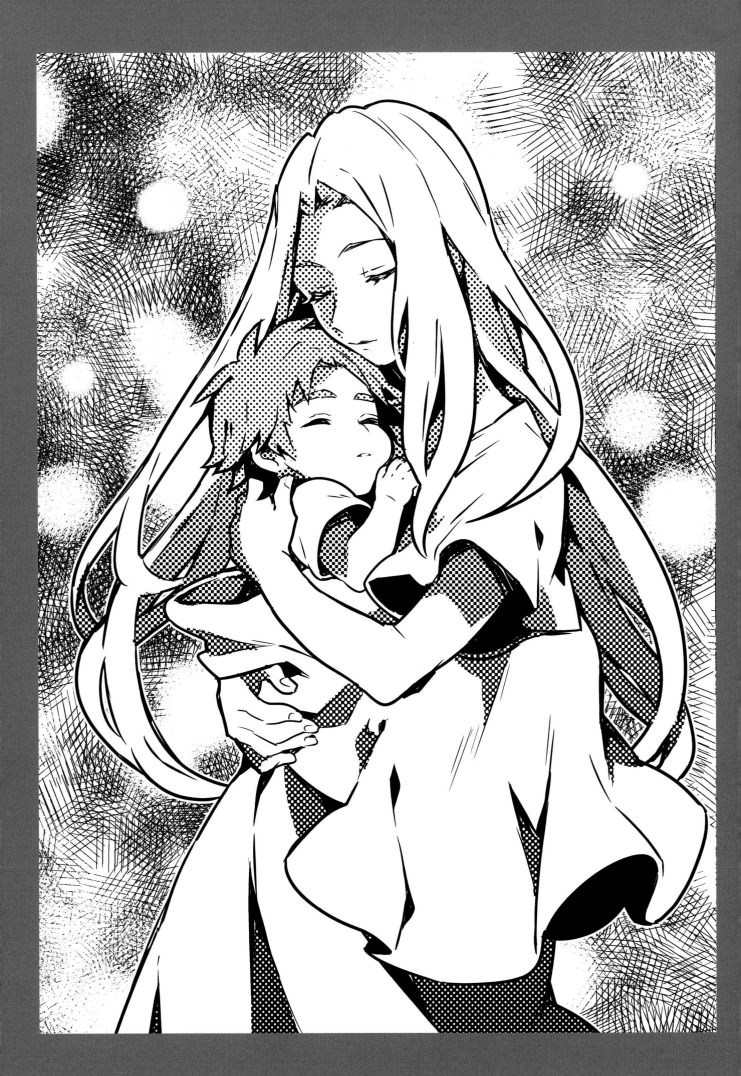

1. 응?
2. 뭐야, 뭐야?
3. 100만 다운로드 돌파했대.
4. 그게 정말이냐?!
5. 사나다 마코토

6. 살육의 천사 TV 애니메이션 제작 축하합니다!!
7. 7/27 발매되는 코믹스 ⑤권&Ep.0①권도 잘 부탁드립니다!

劇会議へご来場＆コミックス1巻ご購入
真にありがとうございます!

ゲーム本編もいよいよ佳境ですが
ゲーム同様のハラハラドキドキをお届けできるよう
コミカライズ版もがんばります。

これからも「殺戮の天使」を
よろしくお願いします!

2016.1.30-31

투회의 방문&만화 1권 구입
진심으로 감사드립니다!
게임 본편도 마침내 클라이맥스입니다만
게임과 마찬가지로 아슬아슬함과 두근두근한 느낌을
전해드릴 수 있도록 만화도 힘내겠습니다.
앞으로도 「살육의 천사」를 잘 부탁드립니다!

살육의 천사 2권 쿠마자와 서점에서 구매해 주셔서 감사합니다.

「살육의 천사」 1권 구매해 주셔서 감사합니다.

살육의 천사 2권 Wonder GOO에서 구매해 주셔서 감사합니다.

살육의 천사 2권 미라이야 서점에서 구매해 주셔서 감사합니다.

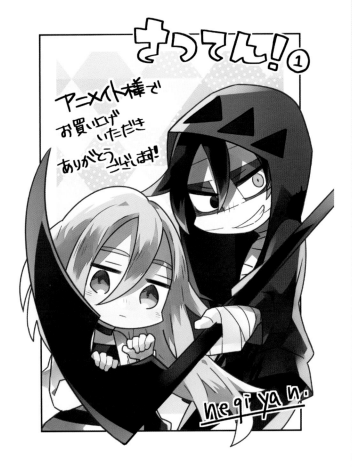

애니메이트에서 구매해 주셔서 감사합니다.

라이트 노벨의 삽화를 담당하게 되었습니다!
어린 시절 잭의 이야기도 들어 있습니다. 기대해주세요…!!

이 두 사람의 과거가 그려진 단편이 심금을 울렸습니다….
삽화도 함께 즐겨 주시면 좋겠습니다!!

お買い上げ
ありがとうございます!!
ノベライズの挿絵を担当
させていただきました!
子ども時代の
ザックのお話も
入っています。
お楽しみ
です…!!

negi yan

114

게임에서의 이동하는 장면을 그대로 전부 그리면 오히려 독자가 스트레스를 느낄지도 모를 장면도 있습니다. 그런 경우에는 원작 게임의 각 장면에서 「가장 중요한 부분」을 전하는 것을 최우선으로 하여 어느정도 생략할지를 조정하고 있습니다.

무표정한 레이에게 카메라로 표정을

그럼 각 캐릭터를 그리는 방법에 관해 이야기하겠습니다.

먼저 (기억을 되찾은 이후의) 레이를 그릴 때 중요하게 여기고 있는 것은 「눈을 너무 세세히 그리지 않는 것」입니다. 동공, 눈동자에 점, 톤으로 끝. 레이의 눈은 일부러 이러한 요소들로만 구성하고 있습니다. 눈은 감정을 표현하는 중요한 부위이기에 세세히 그리면 그릴수록 표정이 생겨날 수밖에 없고 독자의 주목도 눈에 집중됩니다. 그래서 일부러 담백하게 표현하여 「눈으로 표정이 나온다」는 인상을 지워두는 겁니다. 참고로 레이는 몸짓이나 손짓도 담백하게 그리며, 만화에서 감정 표현에 사용하기 쉬운 표현들은 일부러 봉인하고 있습니다.

그러면, 그럼에도 불구하고 존재하는 레이의 심리 변화를 어떻게 표현하면 좋을까요.

사실 만화는 카메라의 위치를 바꿔서, 레이가 거의 무표정이라고 해도 마치 표정이 있는 것처럼 표현할 수 있습니다. 예를 들어 위에서 얼굴을 내려다보면 힘없이 눈을 내리뜨고 있는 것처럼 보이고, 위쪽을 올려다보는 각도라면 레이가 무서운 얼굴로 내려다보고 있는 것처럼 보이기도 하는…… 그런 느낌입니다.

또한 중요한 장면에서는 아까도 이야기했듯 바람을 불게 하여 머리카락을 나부껴서 그녀의 마음을 표현하기도 합니다. 머리카락은 레이를 구성하는 요소 중에서 가장 면적이 큽니다. 그것을 잘 살리기만 해도 레이의 감정을 표현할 수 있습니다.

체격 또한 잭과의 대비를 생각하여 소녀답게 작게 그리는 한편, 신발은 조금 헐렁헐렁하게 그리고 있습니다. 이 부분은 그녀의 앳됨을 표현하는 것이지만, 허벅지는 사나다 선생님보다 두껍게 그리고 있습니다.

제 평소 그림체와 비교하면 상당히 가늘게 그리고는 있지만, 너무 살집 없이 리얼하게 그리면 만화 연재 중에 다양한 움직임을 현실감 있게 그리기 어렵다……는 판단도 있었습니다.

잭은 레이와 대비하여 눈에 주목

잭의 얼굴에 관해서도, 제 경우에는 「시간이 한정된 월간 연재 중에 어떻게 그릴까」하

임 오버……로 만들 수는 없습니다. 원작에서는 술래잡기가 두 번 있지만, 양쪽 다 별 어려움 없이 도망쳐 버려서야 잭은 그냥 얼간이일 뿐이죠. 그렇습니다. 게임을 플레이하면서 겪는 그 「아슬아슬한」 감각은 만화에서 그대로 재현할 수가 없는 겁니다.

그럼 어떻게 해야 독자가 레이의 입장이 되어 그러한 감각을 간접적으로 체험할 수 있을까요?

저는 그래서 원작과는 다르게 레이가 「1초도 기다려 주지 않겠다」는 선고를 들었을 때, 조명을 꺼서 깜깜하게 만들고 기척을 들키지 않게 신발을 벗고서 도망치는 전개로 그렸습니다.

층에 있을법한 기능을 이용하는 레이의 영리함, 그리고 신체 능력은 높지만 똑똑하지는 않은 잭의 성격, 그것을 살려서 오히려 두 사람의 특징을 보여 주는 장면으로 그리고자 했습니다.

이런 식으로 게임의 세계관 안에서 일어날 만한 「리얼리티」를 의식하여 생각해 나가는 한편, 「판타지」를 의식하여 그리는 것도 중요하다고 생각합니다.

예를 들어 캐릭터가 느끼는 「긴장감」이나 「고양감」의 표현을 예로 들 수 있습니다. 게임에서는 음악이나 그래픽으로 표현하는 부분이지만, 흑백이고 음악도 들리지 않는 만화라는 형식으로는 캐릭터의 표정이나 몸짓, 손짓으로 표현하는 것이 효과적입니다

그러나 이 작품에서 레이는 애초에 감정의 움직임이 겉으로는 잘 나타나지 않고 잭은 붕대를 감고 있는 등…… 표정 표현에 큰 제약이 있습니다.

그래서 저는 긴박한 장면에서는 「바람이 불고 있는 것처럼」 레이의 머리카락이나 옷을 펄럭여 분위기를 연출합니다. 그 이외에도 말풍선이나 캐릭터의 주요 선을 거친 느낌으로 그려서 페이지 전체를 통하여 감정 변화를 전달하려고 신경 쓰고 있습니다.

그 밖에도 만화로 만들며 고심하고 있는 점은 많습니다. 이를테면 게임은 캐릭터를 조작하여 맵을 상상합니다만, 만화에서는 어디를 향해 가고 있는지 보이지 않습니다.

담당 편집자님께 『살육의 천사』 코믹화 이야기를 듣게 된 것은 사나다 선생님의 전작 『안개비가 내리는 숲』의 코미컬라이즈가 끝나갈 무렵이었습니다. 「연재 게임」이라는 새로운 형식, 전작과는 다른 분위기…… 그러나 「약속」이라는 일관된 테마가 매력적인 이 작품.

그 코미컬라이즈를 담당하게 된 날부터 지금까지 시행착오를 거듭하며, 작품의 매력을 전하려고 노력했습니다. 그 노력의 일부를 이 자리를 빌려 이야기하고자 합니다.

게임과 만화…… 그 표현 기법의 차이란?

게임을 만화로 바꾸려면 이모저모 생각해야 할 부분이 있습니다. 먼저 그 이야기부터 시작하고자 합니다.

애초에 게임은 그 플레이 경험에 영향을 받아 캐릭터의 성격과 능력에 대한 이미지가 결정됩니다.

예를 들면 잭의 첫인상인 「무서운 살인귀」나 「높은 신체 능력」은 사실 서두의 「술래잡기」 미니 게임에서 게임 오버를 겪으며 알게 되는 것이 아닐까요?

그러나 만화에서는 레이가 따라잡혀서 게

비되어 있어서 잭과 레이는 몇 번이나 생사를 오갑니다. 그런 상황에서 생명력 넘치는 캐시는 더욱 이상하게 비치고…… 그 이상함이 그녀를 한층 매력적으로 만드는 것 같습니다. 그리고 제게도 캐시는 정말 그리기 즐거운 캐릭터입니다. 마치 무대 위의 여배우처럼 행동하며 관객을 즐겁게 만드는, 그런 미학조차 느껴집니다.

사나다 선생님도 negiyan 선생님도 그런 캐시의 얼굴이 너무 천박해지지 않도록 조심하신 것 같습니다. 하지만 제 경우에 그 부분은 크게 문제 되지 않았습니다.

만화로는, 캐시가 무서운 표정을 지을 때는 눈을 찌푸리고 미간에 주름을 잡는 등 사실적인 표정으로, 귀엽게 행동할 때는 동글동글한 눈의 발랄한 표정으로 그려서 캐시의 풍부한 인간성을 표현할 수 있습니다. 이처럼 유연하게 표현할 수 있는 부분도 만화이기에 가능한 접근법이라고 생각합니다.

그건 그렇고, 제가 느끼기에 캐시는 「콤플렉스를 가진 사람」이었을 것 같습니다. 하지만 높은 자존심 때문에 자신의 약점을 자각하여 그 약점을 마주할 수 없었고, 그 점을 레이에게 찔렸기에 그렇게나 짜증 내며 분노했다— 그런 느낌이 듭니다.

그레이는 「지도자」 이미지

그레이는 모든 것을 꿰뚫어 보고 있는 듯하여 누구도 당해 낼 수 없다— 그런 인상을 줄 수 있도록 그리고 있습니다. 신체는 크고 박력 있게. 팔을 과장되게 벌리는 등 엄격한 인상도 풍기고 있습니다. 그리고 얼굴은 일부가 옷깃에 가려져 있어서 표정도 읽기 어렵습니다. 하지만 어딘가 늘 의미심장한 듯도 하죠…….

신부라기보다는 엄격함과 신비함을 겸비한 「지도자」 이미지일까요.

참고로 흰자위 눈은 사나다 선생님의 원작을 그대로 따라하고 있습니다. 인간의 감정은 눈동자에 나타나기에, 그에게 눈동자가 없어서 표정을 읽기 어려운 것은 이른바 「끝판왕」 포지션이라고도 할 수 있는 캐릭터의 표현으로서 중요하다고 생각합니다.

대니는 사실 「강한 캐릭터」?

대니 선생님은 잭에게 쫓기는 공포 체험 직후에 등장합니다.

자상하지만 빈틈이 있는, 어딘가 허술한 남성으로 대비되게 그렸습니다. 다만 그렇게 등장했으면서도 점점 수상한 행동을 보이기 시작하며 차츰차츰 다가오는 두려움이 있죠. 이 부분도 직접 덮치는 잭과의 대비를 의식하여 두려움의 차이를 강조했습니다.

그런 대니 선생님이지만 사실 제게는 「약하기에 강한 캐릭터」라는 인상이 있습니다. 에디나 캐시와 비교하면 그는 「평범」한 축에 드는 사람인 것 같습니다. 하지만 그런 성격인 사람이 무언가를 믿으면 강하다— 그렇게 말할 수 있지 않을까요. 한편 이런 사람은 반대로 믿었던 것이 붕괴하면 모든 것이 단번에 와르르 무너져 버립니다만…… 그렇게 생각하면 대니 선생님의 경우에는 후반에 보여 주는 끈질김이 정말 대단하다고 할 수 있습니다.

에디는 「귀엽지만」 「무섭다」

에디는 그리고 있으면 귀여운 남동생을 보고 있는 기분이 들어서 무심코 힘내라며 응원하고 맙니다(웃음).

각설하고, 만화를 그릴때 의식한 것은 무엇보다도 「무서움」과 「귀여움」을 양립시키는 것이었습니다. 게임에서의 겉모습과 행동이 만화에서도 재현하기 쉬웠기에, 마대의 구멍이 눈과 입처럼 코믹하게 움직이는 것도 그대로 재현했습니다. 모든 구성 요소가 동글동글한 마스코트 같은 모습도 그대로 살렸습니다.

하지만 그렇게나 귀여운데 얼굴이 보이지 않아서 결코 정체를 알 수 없다— 그런 갭에 바로 에디의 으스스한 부분이 있지 않을까요.

여담이지만 에디는 자신을 「귀엽다」고 생각하는 타입이 아닐까 저는 느끼고 있습니다. 내숭쟁이는 아니지만, 자신의 귀여움에 자신이 있는 소년이라고 할까요. 반면 레이는 그런 에디를 상대해 주지 않죠. 꽤 재미있는 부분입니다.

캐시는 만화의 표현으로 표정을 풍부하게

캐시가 등장하는 Ep2는 다른 Ep보다 화려하며 즐겁습니다. 그것은 역시 캐시가 풍부한 표정과 생동감있는 움직임을 보이면서 진심으로 「단죄」를 즐기며, 잭과 레이를 궁지로 몰아넣는 광경이 인상적이기 때문이 아닐까요. B3층은 「단죄」를 위한 함정이 많이 준

는 관점에서 생각한 바가 있습니다.

표정이 계속해서 변하는 잭이라는 캐릭터의 감정을 만화로 어떻게 다양하게 표현할 것인가. 그것을 생각했을 때, 둘둘 감긴 붕대를 사실적으로 표현해서 얼굴을 가려서 그 표정에 한계를 둔다는 사실 자체를 없앤다. 그것이 제 판단이었습니다. 제가 그린 잭은 눈에도 입에도 구멍을 뚫지 않고 오히려 붕대를 투과하여 표정을 그대로 보이고 있습니다.

그렇다면 잭의 표정에서 신경 쓰고 있는 부분은 어디냐면, 역시 사나다 선생님의 그림에서도 특징적인 「눈」과 「입」입니다. 특히 레이와의 대비로 잭은 오히려 「눈」에 주목이 가도록 해서 겉과 속이 같은 그의 순수함과 올곧은 마음과 감정을 표현했습니다.

여담이지만 Ep1과 Ep2 공개 사이에 연재를 시작한 저에게 당초 잭은 「괴물」이라는 인상의 캐릭터였습니다. 지금이야 잭은 상당히 「인간」적이고 「미남」이라는 이미지조차 생겼지만, 당시 제게 그런 인상은 잘 와 닿지 않았습니다.

첫 등장 시에는 「무서운 살인귀」라는 인상이 더욱 강해지도록 얼굴에 짙은 그림자를 드리워서 표정을 그리지 않음으로서 전혀 친근감을 느낄 수 없는 존재로 그렸습니다. 그 연출에 사용한 그림자는 레이에게 「나를 죽여줘.」라는 말을 듣고 대화가 시작된 시점에 없애기는 했습니다. 사나다 선생님이 품고 계신 이미지는 들었기에 의식적으로 그런 것입니다. 다만 그래도 잭이 「인간」이라는 인상은 가질 수 없었습니다.

제가 잭을 「인간답다」고 여기기 시작한 것은 Ep2의 「지금만큼은 나한테」 장면이었다고 생각합니다. 그 무렵부터 제 안에서 잭은 명백하게 괴물에서 인간이 되기 시작했고 점점 감정 이입이 가능한 존재가 되었습니다.

의 대담한 모습을 나타내면서, 눈썹을 다듬을 줄 모르는 소녀다움도 표현했습니다.

한편 눈은 애니풍과 실사풍 사이에서 조정했습니다. 실사에 가까운 그림에서 동그란 눈을 가진 캐릭터는 「사랑스러움」이나 「엉뚱함」과 연결되는 경향이 있기에 피하는 편이 좋겠다고 생각했기 때문입니다. 대신 제가 채용한 것은 「게슴츠레한 눈」에 가깝게 그리는 것이었습니다.

제 그림에서 그녀의 눈썹은 조금 두꺼운 편이고 눈도 다소 큼직한 반면, 눈동자는 안쪽으로 모인 편입니다. 이렇게 하면 전체적으로 「게슴츠레한 눈」 같은 분위기가 납니다. 너무 과하면 조금 짓궂은 인상을 풍기게 되지만, 멍하면서 주변 세상으로부터 한 걸음 물러난 레이의 이미지를 주고 싶었습니다.

그 밖에 레이의 구성 요소에서 특별히 신경 쓴 것은 머리카락이 오른쪽에서 왼쪽으로 흐르는 곡선과 소녀답게 조금 부스스한 머리 모양입니다. 단순히 제 억측일 뿐일지도 모르지만, 사나다 선생님은 그녀의 머리카락을 통해 레이의 양면성을 표현하신 것이 아닐까 하는 생각이 듭니다. 곧게 뻗은 한쪽 머리카락에는 그녀의 내향적인 일면이, 그리고 바깥으로 뻗친 반대쪽 머리카락에는 그녀의 외향적인 일면이 나타나 있다— 그런 생각이 말입니다.

잭은 입꼬리에 선을

잭은 많은 팬이 있는 캐릭터입니다.

사나다 선생님의 그림에서는 붕대 위에 눈·코·입이 올려진 형태로 잭의 표정이 확실하게 그려져 있고, 입이 크기도 하여, 매우 표정이 풍부하며 매력이 넘칩니다. 그러나 이 얼굴을 실사풍에 가깝게 그리면 붕대가 둘둘 감겨 있기에 이목구비가 두드러지지 않게 되어서, 가늘어진 눈과 작은 입이 보일 뿐…… 이 상태에서 실사풍의 묘사로 표정을 만든다는 건 상당히 어렵습니다. 특히 표정을 만드는 데 중요한 눈썹이 보이지 않는 점이 문제입니다.

이 문제를 해결할 필요가 있었습니다. 먼저 저는 눈썹 대신에 붕대의 윤곽선과 쌍꺼풀을 이용했습니다. 붕대를 마치 눈썹처럼 표정에 맞춰 움직이고, 쌍꺼풀과 눈 사이에 약간 거리를 둬서 눈썹 같은 인상을 주고 있습니다.

크게 벌어지는 인상적인 입은 어떻게 했을까요. 저는 잭이 얼마나 입을 벌리고 있든 간에 입꼬리에 선을 살짝 넣어 주게 되었습니다. 이렇게 하면 잭이 사실적으로 입을 벌리고 있으면서도 사나다 선생님의 잭에 가까운 인상을 줄 수 있습니다.

참고로 이렇게 표정을 만들면 잭의 얼굴이 눈가와 입가를 칠한 가부키의 화려한 화장과 비슷하게 느껴집니다. 다만 이 부분도 균형

늘릴 「선전 도구」의 역할을 하는 것도 제 사명이라고 생각했습니다.

그때 한 가지 생각한 것이, 먼저 사나다 선생님의 캐릭터 그 자체가— 매우 잘 먹힐 만한 요소를 포함하고 있다는 점이었습니다.

어느 캐릭터나 심플한 요소로 구성되어 있으면서도 캐릭터의 모티프가 매력적으로 응축되어 있으며 특유의 멋이 있습니다. 이것은 그림 연습을 거듭한다고 해서 반드시 얻을 수 있는 것이 아닙니다. 우리는 세세하게 그릴수록 좋다고 생각하는 경향이 있지만, 그것이 결코 그림의 매력 그 자체로 이어지지는 않습니다.

그리고 디테일하게 표현되지 않았다는 것은 만화나 상품 등의 그림체 변화나 팬이 2차 창작을 그리기 쉽다는 점에서도 사실 강력합니다.

그런 사나다 선생님의 캐릭터가 지닌 「심플하며 힘찬 매력」을 만화나 애니메이션의 화풍으로 그려 온 제 일러스트를 이용하여, 더욱 많은 사람을 원작의 깊은 세계로 끌어들일 수 없을까. 어떻게 하면 그 창구가 될 수 있을지가 제 과제였습니다.

레이의 눈은 「게슴츠레한 눈」으로

여기서부터는 각 캐릭터에 관해 하나하나 이야기하겠습니다.

먼저 레이입니다. 그녀는 기존의 어떠한 캐릭터에도 속하지 않는 아이입니다. 매우 예쁘지만 소녀다운 귀여움은 없습니다. 무표정하며 쿨하여 얼핏 보면 이른바 「아야나미 레이」틱한 캐릭터로도 보이지만, 힘 있게 스스로 움직이는 면도 있습니다. 아이지만 어른스러운 일면도 있어서 어딘가 「한 걸음 물러난 시선」과 본질적인 「대담함」을 지닌 아이입니다.

그 표현에 사용한 것이 그녀의 두꺼운 눈썹과 눈동자입니다. 원작 레이의 두꺼운 눈썹을 제 그림에서는 더욱 「반달형」으로 만들어 두껍게 과장했습니다. 그녀

사나다 선생님의 본편 연재 종료 후, 조용히 네 컷 만화나 공식 홈페이지의 일러스트 소재를 그리던 저는 갑자기 공식 일러스트레이터로 지명되었습니다.

그때 원작 담당자님께 「이 작품은 분명 애니메이션까지 갈 겁니다. 그때를 대비해 지금부터 시간을 들여서 사나다 선생님의 독자적인 세계관과 그림을 깊이 분석하여, 기존 업계인의 기법과 연결하는 다리가 되어 줬으면 좋겠다.」라는 말을 들었습니다.

그 후 2년간 제가 나름대로 발견한 것을 여기에서 이야기하고자 합니다.

사나다 선생님의 그림체가 지닌 매력은?

공식 일러스트레이터가 되긴 했지만, 저는 원작을 중요하게 여기는 타입의 오타쿠입니다. 그래서 솔직히 말하자면 원작과는 다른 전개로 진행되는 미디어 믹스가 있을 경우 원작 팬이 느낄 언짢은 기분은 잘 알고 있습니다. 그리고 저도 사나다 선생님이 만드신 『살육의 천사』의 열혈 팬입니다.

그러면서도 한편으로 이 작품의 팬을 크게

Give it to me
...now.

중요하게 생각했습니다.

그레이는 엄격함을 유지

그레이 씨는 작품 내에서 유일하게 「아저씨」 캐릭터입니다. 단, 매우 엄격한 사람이며, 체격도 좋고, 신장이나 어깨 폭도 크고 넓은 것이 특징입니다. 그래서 사실에 가깝게 그리는 가운데, 없어보이는 외모가 되지 않도록 조심했습니다. 그 결과, 그레이 씨는 원작 이상으로 수단의 옷깃을 크고 빳빳하게 세워서 빈틈없이 옷을 입고 있습니다. 또한 삐죽삐죽한 헤어스타일을 조금 강조하여 그려서 딱딱한 인상을 강하게 주었습니다.

또한 그레이 씨는 많은 사람을 사로잡는 카리스마를 가진 인물이기도 합니다. 그래서 무섭기만 한 것이 아니라 이상한 매력과 위엄을 유지할 필요가 있었습니다. 그런 의미에서 그의 이상한 분위기를 부각하고 있는 것은 역시 눈과 조금 뾰족한 귀라고 생각합니다. 원작의 눈보다는 다소 작지만, 실사풍으로 그리면서도 눈은 확실하게 신경 써서, 그야말로 그레이타입 외계인처럼 크기를 유지했습니다.

공식 일러스트레이터로서

『살육의 천사』는 매우 많은 팬들께 사랑받고 있는 작품입니다. 저와는 다르게 「해석」하는 분이 있는 것은 당연하고, 그것을 언제나 각오하고서 긴장하며, 어떻게든 창구 역할을 다할 수 있도록 제 나름대로 분투해 왔습니다. 예를 들어 SD 그림은 그저 캐릭터를 미니 사이즈로 만든다고 해서 성립되는 것이 아닙니다. 처진 눈이나 치켜 올라간 눈 등은 극단적으로 표현하면서도 특징적인 요소는 크게 나타내야 합니다. 확실하게 그 캐릭터다운 포즈를 취하는 것도 필요합니다.

그 작업 하나하나에, 사나다 선생님의 캐릭터를 어떻게 파악하고 있는지 「해석」이 반영됩니다.

그런 사정은 노벨라이즈에서도 아크릴 스트랩에서도 펑키시 캔배지에서도 똑같습니다. 어떤 스타일이 되어도 캐릭터 자체의 「해석」을 가장 중요하게 여겨 왔습니다.

제 그림은 「엄청난 개성」이 있거나 이른바 「예술성」 있는 타입의 그림은 아니라고 생각합니다. 저는 언제나 그 시대의 트렌드를 관찰하거나, 더욱 많은 사람에게 받아들여질 그림이란 무엇인가를 추구하며 매일 그림을 그리고 있는 인간입니다. 이렇게 취재받는 것은 황송하다고 생각하면서 이야기를 풀어보았습니다만, 조금이라도 제 그림이─ 폭넓게 매력을 전하는 「도구」로서, 더욱 많은 사람이 원작과 접하는 기회를 제공하는 데 도움이 된다면 좋겠습니다.

지, 원래부터 그러한 자상함을 갖춘 사람이었는지─. 하지만 이 구부정한 자세는 그 나름대로 레이를 대하고자 한 증거이지 않을까…… 하고 생각합니다.

에디는 마대를 사실적으로 그리지 않고……

에디는…… 사실 원작의 디자인에서 의식적으로 크게 변경한 포인트는 없습니다. 다만 마대를 뒤집어쓰고 있다는 설정을 사실적으로 표현하는 것은 피했습니다. 그 부분을 너무 사실에 가깝게 그리면 소년의 사랑스러움이 옅어지니까요.

또한 잭과 마찬가지로 에디는 표정을 그리는 것이 어려운 캐릭터입니다. 그런 점도 고려해서 팔이나 다리 등 몸짓으로 크게 감정을 보이도록 하고 있습니다.

얼굴을 드러낸 에디는 사나다 선생님께 받은 그림의 특징과 단편으로 그려진 내용을 기반으로 생각했습니다. 빨간 머리와 주근깨는 확실하게 그리고, 씩씩한 캐릭터라는 점을 고려하면서 그의 심약한 부분을 표현하기 위해 살짝 눈을 처지게 하는 등등……. 결과적으로 사나다 선생님의 그림이 공개되기 전에 제 그림이 먼저 나오게 되어서 긴장하며 제작한 것이 기억납니다.

캐시는 「소녀성」을 중요시

캐시의 특징은 레이와 비교하면 잘 알수 있습니다 레이가 손질되지 않은 두꺼운 눈썹인 것에 반해 캐시는 가늘고 예쁘게 손질한 눈썹. 그리고 부스스한 머리인 레이와는 반대로 볼륨감 있는 아름다운 헤어스타일이고 화장도 확실하게 하고 있으며…… 당연하지만 캐시는 성인 여성입니다.

그러나 그렇기 때문에 필요 이상으로 요란스럽거나 천박해지지 않도록 조심했습니다. 깔깔거리며 웃거나 신경질 내는 캐시를 그대로 사실적으로 그리면 「천박한 여성」처럼 보이게 됩니다. 그러나 제가 생각하기에 그것은 캐시의 본질이 아닙니다.

사실 애초에 사나다 선생님께서 그리신 캐시의 조형을 보면 이런 종류의 「쭉쭉빵빵」한 스타일 캐릭터치고는 노출이 상당히 제한적입니다. 특히 가슴 부근을 확실하게 여미고 있는 것이 특징적인데, 한마디로 말하자면 「고상함」을 유지하고 있습니다. 단편을 통해서 캐시의 과거를 보신 분은 아시겠지만, 사실 캐시는 좋은 집안의 아가씨로 곱게 자란 사람입니다.

저는 캐시를 그릴 때 콧날 표현을 억제하거나 립스틱을 옅게 바르고, 되도록 표정을 자주 바꾸고 있습니다. 캐시의 「화려함」을 중요하게 여기면서도 그 「소녀성」 같은 것 또한

을 맞추는데, 예를 들어 최근에 저는 잭의 눈 아래 라인에 살짝 공백을 넣고 있습니다. 이렇게 하면 화장 같은 느낌이 옅어지는 것 같습니다.

또한 잭의 표정에서 또 하나 빼놓을 수 없는 것이 「눈동자」입니다. 사나다 선생님의 잭은 위협하는 표정 등을 지을 때만 「삼백안」이고 기본적으로는 「사백안」입니다. 이 사백안은 「맛이 간 캐릭터」에 많이 채용됩니다만, 리얼풍 그림에서는 너무 광기에 물든 인상을 줍니다. 그래서 저는 삼백안을 기본으로 표정을 또렷하게 그리면서, 사백안은 특히나 맛이 간 표정이나 반대로 얼빠진 표정에 쓰는 형태로 바꿔 보았습니다.

다음으로 잭의 체형입니다. 이에 관해서는 팬의 이상을 반영하여 상당히 「비현실적인」 신체로 그리고 있습니다. 목은 아름다움을 중시하여 가늘지만, 어깨부터 등까지는 탄탄하게 근육이 붙어 있죠. 그리고 소매도, 이렇게 후드집업을 헐렁하게 입고 있는데 어째선지 팔 근육이 보이는 라인입니다. 현실 남성이 이런 체형을 하고 있는 경우는 거의 없을 겁니다.

물론 여러 의견은 있겠지만, 저는 이차원 묘사에 관해서는 「이차원이 된 시점에 이미 거짓말이니까, 이왕이면 멋진 거짓말이었으면 좋겠다」고 생각합니다. 다만 그러한 그림이기에 리얼리티에 신경을 쓰고 있습니다. 근육의 묘사 같은 부분도 그만큼 확실하게 그리려 하고 있습니다.

이러한 균형은 중요하다고 생각해서, 이를테면 낫도 잭이 가뿐하게 들지는 못하도록 하고 있습니다. 말도 안 되는 완력으로 낫을 어깨에 걸치고 있을 때도 그만큼 허리에 힘을 주게 해서 중량감을 표현합니다. 그러한 생각을 통해 거짓말 같은 이차원 캐릭터에 실재감이 생긴다고 믿고 있습니다.

대니는 평범한 의사로

얼핏 보기에는 자상하지만 실은 수상쩍고 무서운─ 그것이 대니 선생님입니다. 다만 표정에는 특별히 수상쩍은 느낌을 담고 있지 않습니다. 오히려 알렉산드라이트 때의 망가진 표정과 차이가 보이도록 가능한 한 평범한 의사로 그리고 있습니다.

대니 선생님의 몸매에서 가장 특징적인 것은 역시 구부정한 자세이지 않을까요. 사나다 선생님의 도트에 이미 그 특징은 있습니다만, 일러스트에서는 왠지 모르게 감도는 대니 선생님의 자신 없는 모습, 콤플렉스를 표현해 보았습니다.

다만 대니 선생님의 구부정한 자세는 레이의 얼굴을 들여다본 결과라는 생각도 듭니다. 단순히 그녀의 경계심을 풀려고 한 것인

최종적으로 그 복장에 흑백으로 정리한 것은 많은 후보 중에서 주위에 상담하며 정한 것이지만, 특히 레이첼 또래의 여자아이 팬이라면 넓은 줄무늬 티에 긴 카디건을 입은 모습을 보고 「귀엽다」고 느끼지 않았을까요.

참고로 「13살」이라는, 어른도 아니고 어린 소녀도 아닌 나이와 관련하여 의식한 것은 그 밖에도 있습니다. 일자컷 헤어 스타일도 원래는 성인 여성이 잘 정돈된 머리로 아름답게 연출하는 스타일이지만 레이는 조금 부스스하게 망가져 있습니다. 레이의 가느다란 다리도 그 나이 때 여자아이만이 가질 수 있는 아름다운 라인을 의식한 것입니다.

레이는 작중에서 표정이 없는 캐릭터라, 되도록 아래 눈꺼풀은 움직이지 않으면서 표정근이 죽은 인상을 만들었습니다(종반에 어떤 장면 이후로 레이의 얼굴 근육은 조금씩 움직이기 시작합니다만). 반면 눈썹에는 꽤 변화를 줘서 감정 변화가 나타나도록 했습니다.

그리고 더욱 강하게 표정을 드러낼 때는 눈을 변화시켰습니다. 레이의 눈은 제 캐릭터 중에서 유일하게 동공에 하이라이트가 들어가지 않은 특징적인 눈입니다. 또한 불행해 보이는 느낌을 주기 위해 속눈썹을 길게 그려서 기본적으로 「내리뜬 눈」으로 보이는 인상을 만들었습니다.

다만 저는 동그란 눈으로 표현했지만, 확실히 negiyan 님이 말씀하신 것처럼 「게슴츠레한 눈」 같은 요소는 있고, 도트 쪽은 그야말로 그 형태입니다.

얼굴 그래픽은 그런 레이의 눈동자 색을 대담하게 변화시켜서 그녀의 심정을 표현해 보았습니다. 현실에서는 있을 수 없는 일이라 꽤 과감한 표현입니다만, 생각난 것은 과감하게 도입하려 하고 있습니다. 왜냐하면 제게는 특별히 그림 재능이 없기 때문입니다. 그래서 제 그림 실력으로 가능한 일이라면 일단은 뭐든 시도해 보고, 괜찮은 것 같으면 척척 도입하고 있습니다.

이번에 만든 『살육의 천사』는 제가 처음으로 캐릭터를 도트로 그린 작품입니다(사실 전작인 『안개비가 내리는 숲』에서 맵 화면의 캐릭터 그림은 일러스트를 움직인 것입니다).

굴이 있었습니다. 잘 보면 그런 부분이 남아 있을지도 모릅니다.

레이는 「13살」 여자아이

그럼 먼저 레이첼입니다.

레이를 두고서 제가 제일 처음으로 떠올린 것은 「해외의 사이코 호러 영화에 등장할 듯한」 히로인입니다. 서양의 10대이면서 아직 여성의 몸매가 되지 못했고 어딘가 불행해 보이는 아이. 아련하고 위태로우면서도 어딘가 대담한…… 그런 이미지였습니다. 실은 머릿속에 가공의 이미지지만 확실한 레이의 실사 얼굴이 있습니다.

손발이 가느다란 한편, 표정에는 동요하지 않는 대담함이 있는 것은 그런 이미지에서 온 것입니다. 또한 불행해 보이는 느낌을 주기 위해 머리는 옅은 색의 플라티나 블론드를 골랐습니다.

복장에 관해 먼저 생각한 것은 레이첼의 성장 배경입니다. 그녀의 가정 환경을 생각하면 결코 잘 차려입진 않았을 테고, 그 나이 때 아이에게 어울리는 옷 중에서도 다소 저렴한 차림을 하고 있지 않을까…… 생각했습니다. 그리고 13살이라는 나이를 생각하면— 어린 여자아이처럼 치렁치렁한 옷을 입을 시기도 아니고, 좀 더 위쪽 연령대처럼 「여성스러운 옷」을 입으려고 하는 시기도 아닌— 소박하게 쿨함을 동경하는 나이이지 않을까.

사람에 따라 천차만별이라고 생각합니다만, 저는 스토리를 만들 때 캐릭터부터 떠올리지는 않습니다. 오히려 그런 순서는 저와는 맞지 않는다고 느끼는 편입니다.

가장 먼저 표현하고 싶은 스토리가 있고, 플롯이 정해지면 캐릭터도 형태를 이루어 갑니다. 반대로 캐릭터가 먼저 확고해져 버리면 스토리가 움직이지 않습니다. 그래서 그림을 그리는 과정도 먼저 막연한 이미지가 머릿속에 생겨나고, 이어서 그것을 간단히 데포르메하여 그려 보고, 그 캐릭터로 표현해야 할 요소를 조금씩 넣어 살을 붙여 나가는, 그런 느낌입니다.

그리고 살을 붙일 때는 큰 요소로 특징을 잡는 편이고, 그다지 옷 모양 등의 세세한 부분까지 만들지는 않습니다. 왜냐하면 제게는 그렇게 대단한 그림 실력이 없기 때문입니다. 이 화집도 나즈카 님과 negiyan님 사이에 끼게 되어서 뭔가 부끄러운 마음조차 듭니다.

본 사람의 마음에 남는 그림이고 싶다

다만 한 가지 언제나 신경 쓰고 있는 것은 「적어도 본 사람의 마음에 남는 그림을 그리고 싶다」는 것입니다. 세세한 부분까지 그리지는 못하지만, 그만큼 쉽게 떠올릴 수 있는 그림이지 않을까. 캐릭터에게 확실한 「개성」을 부여하고, 그들에게 맞는 옷이나 얼굴 등의 특징을 주면 다른 사람의 마음에 남을 수 있지 않을까. 그렇게 생각하며 언제나 마음을 담아 그리고 있습니다.

그런 생각을 바탕으로 잭의 「눈」처럼 되도록 눈에 띄는 포인트를 좁혀서 특징을 만드는 것이 제가 캐릭터를 만드는 방식입니다. 저 자신이 해외 카툰 애니메이션을 좋아하고 그런 그림을 좋아한다는 점도 큰 영향을 줬을 겁니다.

사실 『살육의 천사』는 원래 해외 카툰 애니메이션 그림체로 캐릭터가 움직이는 모습을 상상하여 만들던 부분도 있습니다. 레이첼처럼 실사 영화 이미지를 의식한 캐릭터도 있지만, 잭이나 대니 선생님은 원래 카툰풍 얼

ORIGINAL AUTHOR

사나다 마코토

MAKOTO SANADA

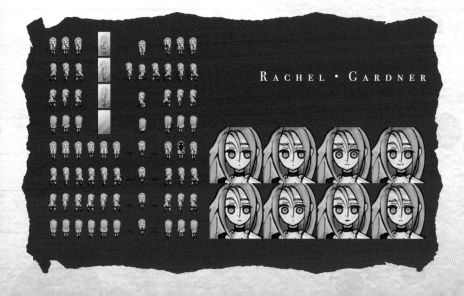

RACHEL · GARDNER

대니의 원래 얼굴은 호러?

……대니 선생님에 관해서는 제 머릿속에 있는 그림을 보시는 편이 좋을 것 같습니다. 카툰 애니메이션을 떠올리고서 현재 일러스트를 그렸다고 아까 말씀드렸습니다만, 사실 원래 이미지는 이런 느낌입니다(그 자리에서 일러스트를 그리기 시작한다).

조금…… 호러스럽죠?(웃음). 코카소이드 남성다운 어벙한 얼굴에, 성인 남성답게 전체적으로 이목구비도 깁니다. 자상해 보여서 방심하게 되는 얼굴이지만 어딘가 무서운 인상입니다. 다만 스토리 흐름상 대니는 좀 더 안심할 수 있는 분위기를 자아내길 원했기에, 일러스트를 그릴 때는 눈썹을 두껍게 하여 촌스러운 느낌을 내는 등 궁리를 했습니다. 이런 흐름으로 만들었기에 대니에게는 그다지 멋있는 남성이라는 이미지가 없습니다(웃음). 대니 선생님의 얼굴 그래픽은 전반과 후반으로 크게 바뀝니다. 「알렉산드라이트」 의안을 착용한 이후로는 동공의 하이라이트가 사라지고, 후반에는 게임 얼굴 그래픽의 「기호」로서 이마에 그림자가 들어가 광기가 증가합니다. 본판이 자상한 얼굴이기에 그림자를 넣는 맛이 있었습니다(웃음).

대니 선생님의 얼굴 그래픽도 자잘하게 바꾼 패턴이 많이 있습니다. 종반의 우는 얼굴 등, 실제로 사용하지 않은 그림도 포함하면 열다섯 장 넘게 패턴이 있습니다. 돌려쓰는 편이 편할지도 모르지만, 무심코 제작하며 「이런 얼굴로 이 대사는 안 해!」 하고 대사별로 얼굴을 그리고 맙니다.

대니 선생님 도트의 가장 큰 특징은 얼굴이 앞으로 나온 「구부정한 자세」입니다. 얼굴 그래픽은 자상하게 미소 짓지만, 전체적인 분위기는 「뭔가 있을 것 같은」 느낌입니다. 참고로 대니의 걸음걸이는 침착한 성인의 걸음걸이를 의식했습니다. 다만 여성스러운 걸음걸이로 보일 수도 있어서 조금 조정을 했습니다.

는 눈 밑에 다크서클이 들어가고, Ep4가 되면 입을 일그러뜨리거나 동요하여 눈을 크게 뜨는 등 마음이 약해진 걸 표현해 보았습니다.

지금 잭의 도트를 보면 확실하게 호러풍입니다. 레이와의 차이점이라면 역시 다리가 벌어져 있고 남성적으로 걷는다는 것일까요.

그건 그렇고, 오랜만에 다시 보니 잭이 낫을 겨누는 포즈만 해도 네 방향 도트가 찍혀 있는 등 저는 무심코 도트에도 연기를 시키고 싶었나 봅니다.

그중에서도 레이는 최초로 그린, 저의 도트 그림 제1호 캐릭터입니다. 레이의 그림에서 중요한 것은 그녀가 다리를 모으고 있지 않다는 점입니다. 그렇습니다. 아직 여성스럽게 다리를 모으는 습관이 없는 겁니다. 또한 도트 하나를 삐져나오게 해서 O다리 모양으로 만들었습니다. 똑바로 서있지 못하고, 어딘가 불안정한 인상을 주고자 한 것입니다.

잭은 현실을 무시하고 표정을 자유롭게

잭의 캐릭터 그림은 여러가지 경위를 거쳐 이 형태로 정해졌습니다만, 복장이 참으로

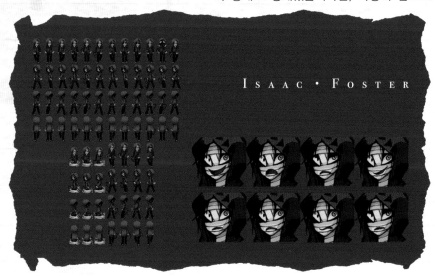

ISAAC・FOSTER

DANIEL・DICKENS

심플하다고 제작자인 저도 생각합니다. 살인 귀니까 후드를 쓰고, 커다란 낫을 들고, 화상에 붕대를 둘둘 감고…… 정말로 심플한 요소로 구성되어 있습니다. 옷의 자잘한 디테일은 잘 생각해 내지 못해서 늘 데포르메로 표현할 수밖에 없는게 이유입니다만…… 멋있게 만들고는 싶었기에 스탠딩 CG를 S자 커브 라인으로 그리는 등 궁리는 했습니다.

잭의 특징은 「얼굴」이라고 생각합니다. 확실히 말해서 이 얼굴은 명백하게 리얼함을 버렸습니다(웃음).

잭은 특히 해외 카툰 애니풍 그림의 흔적이 많이 남아서, 눈의 형상은 반달형의 「유쾌함」이 넘치고, 입은 붕대를 무시하여 크게 옆으로 열립니다. 저는 이 카툰에 가까운 표현의 「자유로움」을 마음껏 살렸습니다만, negiyan 님이나 나즈카 님, 애니 스태프분들은 사실적인 얼굴로 옮기느라 고생하셨을 것 같습니다.

참고로 잭의 앞머리는 제 그림에서는 중앙에 가까운 옆 가르마 스타일입니다. 다만 노란색 눈을 가리고 싶지 않았고, 호러 살인귀다운 느낌을 내기 위해 좌우의 모발량을 다르게 했습니다.

스토리 내에서의 얼굴 그래픽 변천을 보자면, 후반에 그가 피폐해진 뒤로는 눈꺼풀을 붙여서 험악하게 만들었습니다. Ep3 무렵에

「소녀성」을 더했습니다.

마지막까지 고민한 것은 립스틱을 칠할지 말지였습니다. negiyan 님도 신경 쓰신 것처럼 아줌마 같은 인상이 강해지는 것을 우려했기 때문입니다만, 저는 결국 당초의 호러와 나중에 더한 「소녀성」과의 밸런스를 생각하여 최종적으로 립스틱을 칠하기로 했습니다. 아이라인이 확실한 여성이 립스틱을 칠한 모습은 무서운 인상을 준다고 생각한 겁니다.

캐시의 얼굴 그래픽은 아무튼 뺨 근육이 발달해서 자유자재로 얼굴 근육이 움직입니다(웃음). 다만 그렇게 요리조리 표정이 바뀌는 반면, 실은 눈썹이 미동도 안 합니다. 그리고 늘 깔보는 표정입니다. 그런 부분으로 그녀의 냉혹함, 인간미 없음을 표현해 보았습니다.

하지만 도트 쪽은 왠지 평범하게 귀엽네요(웃음). 서 있는 모습에 「품위」가 있고, 웃는 대사가 나오는 장면에서는 확실하게 도트도 같이 웃게 했습니다. 자세히 보면 요소요소에서 눈꼬리를 올리기도 합니다. 움직임도 상당히 풍부한데, 이 부분은 무대 위의 쇼를 이미지하며 움직이게 했습니다.

그레이는 질문을 던지는 듯한 모습으로

공식 팬북에서도 그렸습니다만, 그레이의 처음 모티프는 흡혈귀였습니다. 그 부분은 뾰족한 귀나 눈, 헤어스타일 등의 특징에 어렴풋이 남아 있습니다. 블라우스와 베스트, 망토처럼 움직이는 긴 수단을 걸친 모습도 그 흔적이라고 할 수 있을 것 같습니다.

한편 빌딩의 「신부」로서 위압감을 주고 싶었기에 어깨 폭을 넓히고 가슴팍을 두껍게 했습니다. 그리고 스탠딩 CG의 기본 포즈는 손을 이쪽으로 내밀어 무언가를 묻는 모습으로 했습니다. 신비한 분위기를 풍기면서도 엄격한 로맨스그레이 남성으로 그렸습니다.

하지만 사실 저는 그다지 노인으로 그릴 생각은 없었습니다. 피부색은 중년답게 조금 칙칙하게 칠했지만 주름은 별로 없습니다. 어쩌면 신성한 인상을 주고 싶어서 입힌 보라색 수단이 조금 「아저씨」스러운 배색으로 보였을지도 모르겠습니다만…….

그레이의 얼굴 그래픽은 다른 캐릭터와 달리 스탠딩 CG에서 잘라 내지 않고 새롭게 옆얼굴을 작성한 것이 특징입니다. 늘 대면하여 질문을 던지는 캐릭터이기에 옆을 보게 하는 편이 그럴듯하다는 생각이 들었습니다. 그의 매부리코 옆얼굴이 얼마나 멋진지 보이고 싶다는 마음도 있었죠(웃음).

표정에 관해 말하자면, 사실 그레이는 제법 표정이 풍부한 캐릭터입니다. 그는 타인에게 숨기지 않는 인간일 것이라고 생각했기

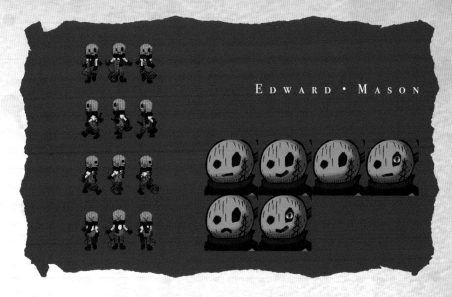

EDWARD・MASON

캐시는 표정근의 움직임을 보여주고 싶었다

캐시는 눈과 눈썹이 가까운, 일본인의 시선으로 보면 매서운 인상의 할리우드 여배우……라는 이미지가 컸습니다. 그 시점에 제가 그린 캐시 그림은 옷이 전신을 덮고 있어서 노출도 없습니다. 그런 점을 보면 캐시는 얼굴부터 생각해서 전신을 만들어 나간 캐릭터입니다.

먼저 지금까지 도전해 본 적 없는 방식으로 얼굴을 그렸습니다. 저는 잭이나 그레이, 혹은 『안개비가 내리는 숲』의 스가 군 같은 「카툰」 그림체 외에는 확실하게 아이라인을 넣은 적이 없었고, 기본적으로는 레이첼처럼 위쪽 눈꺼풀만 그렸었습니다. 그러나 캐시는 눈 아래쪽 라인을 넣어서 표정근의 움직임을 보여주고 싶었습니다.

한편 캐릭터가 확고해져 가는 가운데, 그녀에게는 조금만 더 화려함과 사랑스러움을 더하는 편이 재미있지 않을까 생각하기 시작했습니다. 그래서 머리카락은 당시 유행하던 그러데이션 헤어를 도입하여 컬러풀하게 만들고, 옷은 반소매로 해서 노출도를 올렸습니다. 반면 소매는 퍼프 소매로 해서 그녀의

에디는 어린아이 느낌을 내고 싶었다

에디는 처음에 떠오른 이미지에서 거의 변경이 없는 캐릭터입니다. 아마 일러스트로 그리는 과정에서 추가된 것은 바지에 달린 주머니 수 정도이지 않을까요(웃음).

기본적으로는 호러답게 마대를 뒤집어씌웠지만, 할로윈 키드를 의식한 반소매에 손발을 바동바동 움직여서 눈에 띄게 만들었습니다. 도트가 팔을 벌리고 있는 자세인 것도 어린아이 느낌을 내고 싶었기 때문이죠.

반소매에 머플러 모습인 것은 목을 드러내고 싶지 않았기 때문입니다. 목을 보이면 인간적인 느낌이 들고 맙니다. 에디는 신출귀몰한 공포를 주는 캐릭터이기에 「숨기고 있는」 인상을 더욱 강하게 주고 싶기도 했습니다.

다만 에디는 처음부터 완성된 캐릭터이기도 해서 그다지 말할 것이 없네요(웃음).

이미지가 너무 확실하게 완성되어 있었기에 제작 도중에 잠시 「청년으로 만들면 어떨까」 구상해 보려고 했지만, 역시 「레이첼을 사랑하는 소년」이라는 스토리를 원했기에 처음 이미지대로 진행했습니다.

CATHERINE・WARD

ABRAHAM · GRAY

때문입니다. 저렇게 보여도 얼굴에 꽤 드러나 버리는 사람……이지 않을까요.

그레이는 직선적이고 시원시원하게 움직이도록 했습니다. 대니도 똑바로 걷지만, 여성스럽게 보이지 않도록 조정할 필요가 있었습니다. 하지만 그레이는 그야말로 위엄 있는, 성인 남성의 걸음걸이라는 느낌입니다. 사이즈도 도트 그림 중에서는 빠듯한 크기까지 키웠습니다.

그레이의 도트 움직임에서 특징적인 것은, 어째서인지 진심으로 말하기 시작하면 바람이 불어서 망토가 펄럭이는 부분이라고 생각합니다. 무대 연출로 말하자면 송풍기로 밑에서 바람을 보내는 이미지죠. 「이런 이야기를 하고 있으니까 분명 바람이 불고 있을 거야…….」 하는 느낌입니다(웃음).

2D 도트 표현의 가능성

여러 가지로 이야기했는데, 이렇게 그림에 관해 말해 보니 제게 RPG 만들기 툴은 정말로 표현하기 쉬운 툴이었구나…… 하는 생각이 듭니다.

복잡하게 표현할 필요가 없고, 데포르메 표현이 강점을 가지죠. 도트 그림은 한정된 공간의 점 하나가 크게 인상을 바꾸는 세계

는 마음과 근성만 있다면 이런저런 일이 가능한 것이 2D 게임의 좋은 점이 아닐까요.

입니다. 그리고 그림도 크지 않기에 기합과 근성만 있으면 저 같은 사람도 제가 고집하는 대로 표현이 가능합니다. 앞에서도 말씀드렸듯이 저는 대사에 맞춘 얼굴 그래픽을 고를 때, 정해진 얼굴로 사람이 이야기할 리가 없다고 생각하여 돌려쓰지 못하고 하나하나 그리게 되거든요.

그리고 무엇보다도 무대 같은 연출을 넣거나 카툰 애니메이션처럼 움직이게 하는 등 자유도 높은 표현이 허락되는 것은 정말로 고마운 점입니다. 진짜가 아닌 만큼, 생각하

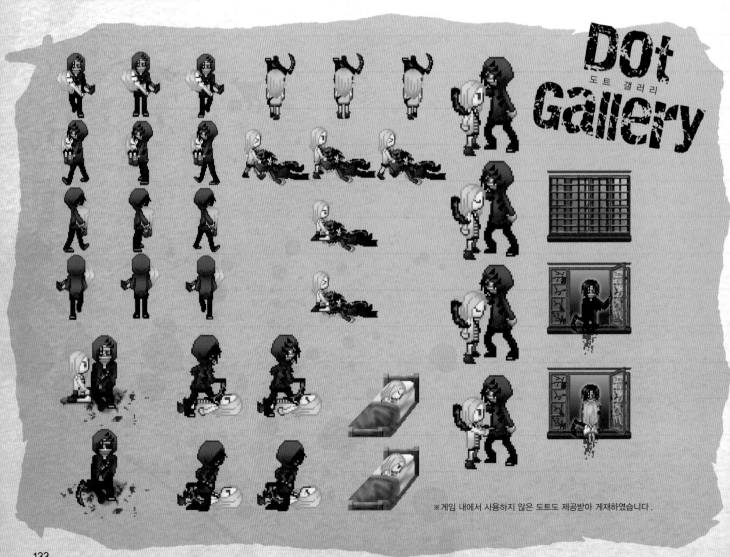

Dot Gallery
도트 갤러리

※게임 내에서 사용하지 않은 도트도 제공받아 게재하였습니다.

133

후 기

벌써 2년도 더 된 일입니다. 『살육의 천사』가 화제가 되고, 만화가 인기를 끌고, 이벤트 회장 등에서 팬의 모습을 볼 기회가 생기게 되었을 무렵, 저희 사이에서 화젯거리가 된 것이 있었습니다.

그것은…… 정말로 초등학생과 중학생 팬이 많다는 것이었습니다. 그리고 대학생 이상의 팬 비율은 상당히 낮았습니다. 실제로 그것이 당시 저희에게 올라온 다양한 데이터나 감상 메일 등에서 보였습니다.

그 사실은 여러가지 면에서 『살육의 천사』를 바꾸어 갔습니다. 사나다 선생님은 최종화로 향하면서 읽기 쉬운 일본어로 대사를 구성하시며 정말로 신중하게 말을 가다듬게 되셨습니다.

그리고 게임 연재 종료 후에 시작된 상품이나 노벨라이즈, 팬북, 카페 등의 미디어 믹스에서는 사나다 선생님과 나즈카 선생님, negiyan 선생님까지 포함해도 정말로 몇 명 안 되는 팀이지만 어떻게든 다 같이 시간을 짜내서, 대부분 기획 단계부터 직접 손보며 가능한 한 정성껏 움직였습니다. 물론 모든 전개는 사나다 선생님과 면밀한 상의를 거친 뒤에 이루어졌습니다.

어느 날, 문득 negiyan 선생님께서 말씀하셨습니다.
「처음으로 빠진 작품만큼은, 어른이 되어서 많은 게임과 만화를 접해도 언제까지나 특별한 존재라고 생각해요.」
저희가 너무 깊이 생각해서 그렇게 인식하는 것일지도 모르지만, 아무래도 『살육의 천사』가 그런 「첫사랑」 같은 작품 중 하나가 된 사람이 적지 않다고 저희는 그렇게 받아들이고 있습니다.

물론 이 작품에는 성인 팬도 많고, 그분들 중에는 「오타쿠를 겨냥한 이벤트니 상품이니」 하는 것에 관한 시세 감각을 지닌 산전수전 다 겪어본 오타쿠(?) 분들도 있을 겁니다. 공식 관계자도 비교적 강자들뿐이라서 그러한 「늪」의 실정도 잘 알고 있습니다.

다만 사나다 선생님께서 만들어 내신 『살육의 천사』라는 작품의 대단한 광채와 어린 팬들의 열정을 생각하면, 절대로 「뭐, 이 정도면 되겠지.」 싶은 수준의 상품이나 이벤트에 돈을 내게 할 수는 없습니다. 그런 생각을 하면서 늘 분투해 왔습니다. 성인 팬 여러분도 「절대로 『살육의 천사』가 그저 그런 작품이 되게 두지 않겠다」는 엄격한 눈으로 봐 주셔서, 저희에게 정말로 좋은 긴장감을 주고 계십니다.

저희는 모든 미디어 믹스에 관해 반드시 사나다 선생님과 면밀하게 상의했습니다. 그리고 원작의 핵심에 있는 「철학」을 파고들어 형태로 만들어서, 오히려 「아크릴 스트랩」이나 「펑키시 캔배지」 같은 미디어 믹스로 작품의 새로운 매력과 시점을 선사하고자 심혈을 기울였습니다. 이 화집에 수록된 그림에 강렬하게 담겨있는, 세 작가분의 열띤 마음과 사랑을 느껴주셨으면 좋겠습니다.

그리고 현재, 애니메이션화를 통해 『살육의 천사』를 둘러싼 상황은 크게 바뀌었습니다.
드디어 다양한 분이 이 작품의 매력을 알게 되었고, 애니메이션과 함께 제작 위원회의 프로분들께서 저희는 할 수 없는 다양한 전개를 검토해 주시게 되었습니다.

그런 가운데, 이번에 저희 사이에서 「줄곧 응원해 주신 팬분들이 앞으로 문득 떠올릴 수 있을 만한 책을 만들자」는 이야기가 나왔습니다. 이 세상에 있는 많은 만화와 게임을 즐길 수 있게 된 어른들이 그럼에도 문득 『살육의 천사』를 떠올렸을 때, 언제든 돌아올 수 있을 만한 책을……

애니메이션 제작 발표 후, 팬 여러분께 받은 감상을 전해 드렸을 때, 사나다 선생님께서 기뻐하셨던 것이 Twitter에서 축하 코멘트를 보내 주신 계정의 아이콘 대다수가 더는 『살육의 천사』 그림이 아니었다는 것입니다. 작품으로서 중요한 것은 그렇게 언제까지나 모두의 마음에 남아 따뜻하게 사랑받는 것이라고 생각합니다.

이 화집은 그런 의미에서 줄곧 응원해 주신 팬 여러분을 위해 감사의 마음을 담아 제작한 책입니다. 앞으로도 한동안 『살육의 천사』는 시끌벅적한 이야기가 계속될 것 같습니다. 여러분께서 보내 주신 응원이 『살육의 천사』라는 멋진 명작을 여기까지 키워 주셨습니다. 정말로 감사합니다. 그리고 앞으로도 잘 부탁드립니다.

살육의 천사 공식

『살육의 천사』 화집 출처 표기

『살육의 천사』 게임 매거진
『살육의 천사』 공식 사이트

『살육의 천사 공식 팬북』 감수: 사나다 마코토
『살육의 천사 UNTIL DEATH DO THEM PART』 원작: 사나다 마코토 저자: 키나 치렌
『살육의 천사② BLESSING IN DISGUISE』 원작: 사나다 마코토 저자: 키나 치렌
『살육의 천사③ ONCE IN A BLUE MOON』 원작: 사나다 마코토 저자: 키나 치렌

『월간 코믹진』 2015년 11월호
『월간 코믹진』 2016년 10월호
『월간 코믹진』 2017년 3월호
『월간 코믹진』 2017년 6월호
『월간 코믹진』 2017년 10월호
『월간 코믹진』 2018년 1월호
『월간 코믹진』 2018년 6월호
『진 픽시브』(Web) 2017년 3월
『진 픽시브』(Web) 2017년 8월
『살육의 천사①』 원작: 사나다 마코토 만화: 나즈카 쿠단
『살육의 천사②』 원작: 사나다 마코토 만화: 나즈카 쿠단
『살육의 천사③』 원작: 사나다 마코토 만화: 나즈카 쿠단
『살육의 천사④』 원작: 사나다 마코토 만화: 나즈카 쿠단
『살육의 천사⑤』 원작: 사나다 마코토 만화: 나즈카 쿠단
『살육의 천사⑥』 원작: 사나다 마코토 만화: 나즈카 쿠단
『살육의 천사⑦』 원작: 사나다 마코토 만화: 나즈카 쿠단
『살육의 천사 Episode.0 ①』 원작: 사나다 마코토 만화: 나즈카 쿠단
『살육의 천사 Episode.0 ②』 원작: 사나다 마코토 만화: 나즈카 쿠단
『살천! ①』 원작: 사나다 마코토 만화: negiyan
『살천! ②』 원작: 사나다 마코토 만화: negiyan
『겨울★컬렉션 2017』
※상기 서적의 특전 포함

『LINE 테마 살육의 천사』
『LINE 스티커 살육의 천사』
『살육의 천사 콜라보 카페』
『쁘띠 클리어파일 컬렉션』
『트레이딩 러버 스트랩』
『아크릴 스트랩』
『롱 포스터 컬렉션』
『캔배지+』
『살육의 천사 러버Q』

『니코니코 투회의 2016』
『니코니코 초회의 2016』
『니코니코 투회의 2018』

『살육의 천사 overground』

星屑KRNKRN
https://nanos.jp/hskzkrnkrn/blog/1/

おろせー

내려놔―.

むに

ぷーぅく―

KB042346

살육의 천사 아트 갤러리

1판 1쇄 발행 2018년 10월 30일
1판 3쇄 발행 2022년 9월 2일

일러스트_ Makoto Sanada, Kudan Naduka, negiyan
옮긴이_ 송재희

발행인_ 신현호
편집장_ 김승신
편집진행_ 권세라 · 최혁수 · 김경민 · 최정민
편집디자인_ 양우연
관리 · 영업_ 김민원

펴낸곳_ (주)디앤씨미디어
등록_ 2002년 4월 25일 제20-260호
주소_ 서울시 구로구 디지털로 26길 111 JnK디지털타워 503호
전화_ 02-333-2513(대표)
팩시밀리_ 02-333-2514
이메일_ lnovellove@naver.com
ㄴ노벨 공식 카페_ http://cafe.naver.com/lnovel11

SATSURIKU NO TENSHI ART GALLERY
ⓒMakoto Sanada 2018
ⓒKudan Naduka 2018
ⓒnegiyan 2018
First published in Japan in 2018 by KADOKAWA CORPORATION, Tokyo.
Korean translation rights arranged with KADOKAWA CORPORATION, Tokyo.

ISBN 979-11-278-4668-8 07830

값 18,000원